D1274663

Original English Scripts:	Wendy Harris
	Joe Hambrook
	Richard Taylor
Spanish version:	Juan Antonio Ollero
German version:	Claudia Eilers
French version:	Elizabeth Gruninger
Italian version:	Arturo Tosi
Music:	Peter Shade
Animation:	Richard Taylor Cartoon Films Ltd.
Additional Animation:	Jollyfication Pty.
Graphic Designer:	Alfonso Lara
Executive Producer:	Joe Hambrook
Production Co-ordinator:	Amanda Loveday
DVD Authoring:	Ediciones Digitales, S.A.
Director:	Richard Taylor
Depósito Legal:	M-46361-2005
ISBN:	84-96596-00-1
	84-96596-04-4

Printed in Spain

BBC MUZZY

INDEX

	English	page 11
	Español	page 21
	Français	page 31
	Deutsch	page 41
	Italiano	page 51

English	Español	Français	Deutsch	Italiano
King	Rey	Roi	König	Re
Queen	Reina	Reine	Königin	Regina
Muzzy	Muzzy	Muzzy	Muzzy	Muzzy
Corvax	Corvax	Corvax	Corvax	Corvax
Bob	Juan	Jean	Bob	Toni
Sylvia	Silvia	Sylvie	Sylvia	Silvia
Norman	Carlos	Albert	Norbert	Carlo
Amanda*	Amanda*	Amandine*	Amanda*	Amanda*
Thimbo*	Timbo*	Timbo*	Timbo*	Timbo*

(*) Muzzy II

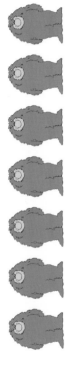

ENGLISH

Level I. Part 4.

11

Part 4

Scene 40

Sylvia Head and shoulders.
Knees and toes,
knees and toes.
Eyes and mouth and
ears and nose.
Ears and nose ...

Muzzy Where are we?

Bob We're in the garden.
Muzzy What? Your garden?
Bob No, silly! The palace garden.
Look! There's Sylvia!
Muzzy What's she doing?
Bob She's doing her exercises.

Sylvia Ssh! Quick!
Bob Behind this thing!
What thing?

Sylvia The statue.
Are you all right?

Bob No, we aren't. We're hungry. Can we have some food, please?

Muzzy Can I have a clock, please?

Sylvia A clock?

Muzzy Excuse me.

Bob Yes. A clock. He likes clocks.

Sylvia Ssh! Somebody's coming.

Muzzy Who is it?

Bob I don't know. I can't see. Ssh! OK! Oh, no! It's raining.

Sylvia Look, wait over there.

Bob OK.

Sylvia See you this evening.

Bob When?

Sylvia Seven o'clock. See you at seven o'clock this evening.

Bob Seven o'clock. Right!

Muzzy What's the time now?

Scene 41

Voice It's eight o'clock.

Phone Ring, ring…

Norman Hello?

Norman No, I'm busy.

I'm having breakfast.

Voice It's one o'clock.
Phone Ring, ring...
Norman Hello?
Norman No, I'm busy.
I'm having lunch.

Voice It's seven o'clock.
Phone Ring, ring...
Norman Hello?
Norman No, I'm busy.
I'm having dinner.

Voice It's nine o'clock.
Phone Ring, ring...
Norman Hello?
Norman No, I'm busy.
I'm having a bath.*

Voice It's ten o'clock.
Phone Ring, ring...
Norman Hello?
Norman Busy?
Norman No, I'm going to bed.
Good night!

* I'm taking

Scene 42

Queen One o'clock.
It's lunch-time.
It's lunch-time, dear.

King I'm coming.
Queen It's lunch-time, Sylvia.
Sylvia I'm not very well.
Can I have lunch in my room?
Queen What's the matter?
Sylvia I've got a terrible headache.

Scene 43

Voice A headache.
Stomachache.
Toothache.
Backache.

Norman Come in. What's the matter?
Patient 1 I've got a headache, doctor.*
Norman A headache? Take this.
Patient 1 Thank you, doctor.

---

* I have

Norman Next! What's the matter?
Patient 2 I've got stomachache, doctor.

Norman Stomachache? Take this.
Patient 2 Thank you, doctor.

Norman Next! What's the matter?
Patient 3 I've got toothache, doctor.
Norman Toothache? Take this.
Patient 3 Thank you, doctor.

Norman Next! What's the matter?
Patient 4 I've got backache, doctor.

Norman Backache? Take this.
Patient 4 Thank you, doctor.

Scene 44

Queen A headache?
Tut! Tut! Stay in your room,
dear, and have a rest.
Lunch for the Princess
in her room!

Queen Sylvia isn't very well.
She's got a headache.

17

Queen She's got a headache. She's having lunch in her room.

Scene 45

Sylvia A headache! Whoo!

Queen Hello, Sylvia. How are you now?

'Sylvia' 1 How am I now? I'm fine, thank you.

Queen Where are you going?

'Sylvia' 1 I'm going to the swimming pool. See you!

Queen Have a nice swim, dear.

King Hello, Sylvia. How are you now? Feeling better?

'Sylvia' 2 Feeling better? I'm fine.

King Good, good, good. Where are you going?

'Sylvia' 2 I'm going to the tennis court.
See you!

King Have a nice game, dear.

King Sylvia's feeling better now.
She's playing tennis.

Queen Playing tennis? No, she isn't.
She's having a swim.

'Sylvia' 3 Hello, Mummy!*
Hello, Daddy!
Bye!

_____
* Mommy

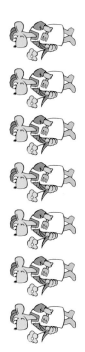

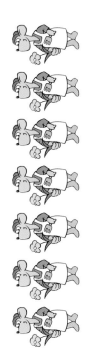

ESPAÑOL

Nivel I. Parte 4.

Parte 4

Escena 40

Silvia   Ejercicio voy a hacer. Voy a hacer.Porque me sienta muy bien, muy, muy bien. Brazos, piernas, manos y pies,todo quiero tener bien, tener bien...

Muzzy   ¿Dónde estamos?

Juan   Estamos en el jardín.

Muzzy   ¿Qué? ¿En tu jardín?

Juan   No, tonto, en el jardín del palacio. Mira, ahí está Silvia.

Muzzy   ¿Qué está haciendo?

Juan   Está haciendo ejercicios.

Silvia   Rápido, detrás de esto.

Juan   ¿De qué?

Silvia   De la estatua. ¿Estáis bien?

Juan   No, no lo estamos.Tenemos hambre. ¿Puedes darnos comida, por favor?

Muzzy	¿Puedes darme un reloj, por favor?
Silvia	¿Un reloj?
Muzzy	Perdón.
Juan	Sí, un reloj.
	Le gustan los relojes.
Silvia	Viene alguien.
Muzzy	¿Quién es?
Juan	No lo sé. No puedo verlo. Está bien. Oh, no...está lloviendo.
Silvia	Mira. Esperad allí.
Juan	Está bien.

Silvia	Nos vemos luego.
Juan	¿A qué hora?
Silvia	A las siete.
	Nos vemos a la siete de la tarde.
Juan	A las siete. De acuerdo.
Muzzy	¿Qué hora es ahora?

Escena 41

Voz	Son las ocho.
Teléfono	Ring, ring...
Carlos	Diga...

Carlos   No, estoy ocupado.
Estoy desayunando.

Voz   Es la una.
Teléfono   Ring, ring...
Carlos   Diga...
Carlos   No, estoy ocupado.
Estoy comiendo

Voz   Son las siete.
Teléfono   Ring, ring...
Carlos   Diga...
Carlos   No, estoy ocupado.
Estoy cenando.

Voz   Son las nueve.
Teléfono   Ring, ring...
Carlos   Diga...
Carlos   No, estoy ocupado.
Estoy bañándome.

Voz   Son las diez.
Teléfono   Ring, ring...
Carlos   Diga...
Carlos   ¿Ocupado?
No, me voy a la cama.
Buenas noches.

Escena 42

Reina
Es la una.
Es la hora de comer.
Hora de comer, querido.

Rey   Voy... Voy...
Reina   Es la hora de comer, Silvia.
Silvia   Oh, no estoy muy bien.
              ¿Puedo comer en mi
              habitación?
Reina   ¿Qué te pasa, querida?
Silvia   Me duele mucho la cabeza.

Escena 43

Voz
Dolor de cabeza.
Dolor de estómago.
Dolor de muelas.
Dolor de espalda.

Carlos   Entre. ¿Qué le pasa?
Paciente 1   Me duele la cabeza, doctor.
Carlos   ¿La cabeza? Tome esto.
Paciente 1   Gracias, doctor.

Carlos A ver el siguiente.
¿Qué le pasa?

Paciente 4 Me duele la espalda, doctor.

Carlos ¿La espalda? Tome esto.

Paciente 4 Gracias, doctor.

Escena 44

Reina ¿Dolor de cabeza? Oh, no...
Quédate en tu habitación,
querida, y descansa.
La comida para la Princesa
en su habitación.

Carlos A ver el siguiente.
¿Qué le pasa?

Paciente 2 Me duele el estómago,
doctor.

Carlos ¿El estómago? Tome esto.

Paciente 2 Gracias, doctor.

Carlos A ver el siguiente.
¿Qué le pasa?

Paciente 3 Me duelen las muelas,
doctor.

Carlos ¿Las muelas? Tome esto.

Paciente 3 Gracias, doctor.

Reina	Silvia no se encuentra bien. Tiene dolor de cabeza.
Reina	Tiene dolor de cabeza. Comerá en su habitación.

Escena 45

Silvia	Dolor de cabeza...
Reina	Hola, Silvia. ¿Cómo estás ahora?

'Rép. 1	¿Cómo estoy ahora? Muy bien, gracias.
Reina	¿A dónde vas?
Rép. 1	Voy a la piscina a nadar. Adiós.
Reina	Diviértete, querida.
Rey	Hola, Silvia. ¿Cómo te sientes ahora? ¿Estás mejor?

Rép. 2	¿Si estoy mejor? Estoy bien.

Rey   Bien, bien, bien.
¿A dónde vas?

Rép. 2   Voy a jugar al tenis. Adiós.

Rey   Diviértete, querida.

Rey   Creo que Silvia está
mejor ahora.
Está jugando al tenis.

Reina   ¿Jugando al tenis? No, no.
Está en la piscina.

Rép. 3   Hola, mamá. Hola, papá.
Adiós.

FRANÇAIS

Niveau I. Partie 4.

Jean — Nous sommes dans le jardin.

Muzzy — Quoi ? Dans ton jardin ?

Jean — Mais non, idiot ! Dans le jardin du palais.
Oh, regarde ! Voilà Sylvie !

Muzzy — Mais qu'est-ce qu'elle fait ?

Jean — Elle fait des exercices.

Sylvie — La tête, les épaules...
Ah, ahhh... Vite !
Derrière ce - ce truc !

Jean — Mais quel - quel truc ?

Sylvie — La statue ! Ça va bien ?

Partie 4

Scène 40

Sylvie — La tête et les épaules,
Les genoux, les doigts de
pied, les genoux, les doigts
de pied, les yeux, la bouche,
Les oreilles et le nez !
Les oreilles et le nez...

Muzzy — Où sommes-nous ?

Jean	Non, ça ne va pas ! Nous avons faim. Tu peux nous donner à manger, s'il te plaît ?
Sylvie	Une montre ?
Muzzy	Rrrps ! Pardon.
Jean	Oui, une montre. Il aime les montres.
Sylvie	Chut !... Quelqu'un vient. Qui est-ce ?
Muzzy	Je ne sais pas. Je ne peux pas le voir. Chut !...
Jean	Ça va. Ah, zut ! Il pleut.

Sylvie	Regardez... Attendez-moi là.
Jean	D'accord.
Sylvie	À ce soir.
Jean	À quelle heure ?
Sylvie	À sept heures. Ce soir, à sept heures.
Jean	À sept heures. D'accord.
Muzzy	Quelle heure est-il maintenant ?

Scène 41

Voix	Il est huit heures.

Albert Allô ?... Non, je suis occupé.
Je prends mon petit déjeuner.

Voix Il est une heure de
l'après-midi.

Albert Allô ?...
Non, je suis occupé.
Je prends mon déjeuner.

Voix Il est sept heures du soir.
Albert Allô ?...
Je suis occupé
Je prends mon dîner.

Voix Il est neuf heures du soir.
Albert Allô ?...
Mais non, je suis occupé.
Je prends mon bain.

Voix Il est dix heures du soir.
Albert Allô ?...
Occupé ? Non.
Je vais me coucher !
Bonne nuit !

Scène 42

Reine Il est une heure. C'est l'heure du déjeuner. C'est l'heure du déjeuner, mon chéri !

Roi J'arrive. J'arrive.

Reine C'est l'heure du déjeuner, Sylvie.

Sylvie Ahhh, je ne me sens pas très bien. Je peux prendre mon déjeuner dans ma chambre ?

Reine Qu'est-ce qui ne va pas ?

Sylvie J'ai très mal, très mal à la tête.

Scène 43

Malade 1 Mal à la tête.
Malade 2 Mal au ventre.
Malade 3 Mal aux dents.
Malade 4 Mal au dos.

Albert Entrez !
Qu'est-ce qui ne va pas ?

Malade 1 J'ai mal à la tête, docteur.

Albert — Mal à la tête ? Prenez ceci.
Malade 1 — Merci, docteur.

Albert — Au suivant !
Qu'est-ce qui ne va pas ?
Malade 2 — Oh, j'ai mal au ventre, docteur.
Albert — Mal au ventre ? Prenez ceci.
Malade 2 — Merci, docteur.

Albert — Au suivant !
Qu'est-ce qui ne va pas ?
Malade 3 — J'ai mal aux dents, docteur.
Albert — Mal aux dents ? Prenez ceci.

Malade 3 — Merci, docteur.

Albert — Au suivant !
Qu'est-ce qui ne va pas ?
Malade 4 — J'ai mal au dos, docteur.
Albert — Mal au dos ? Prenez ceci.
Malade 4 — Merci, docteur.

Scène 44

Reine — Mal à la tête ? Oh là là !
Reste dans ta chambre, ma chérie, et repose-toi...

Reine Le déjeuner de la Princesse dans sa chambre !

Reine Sylvie ne va pas bien. Elle a mal à la tête.

Scène 45

Sylvie Mal à la tête !... Oh là là !...

Reine Bonjour, Sylvie. Comment ça va maintenant ?

Sylvie 1 Comment ça va ?
Reine Très bien, merci!
Sylvie 1 Où vas-tu ?
Je vais à la piscine.
Au revoir !
Reine Amuse-toi bien, ma chérie.

Roi Bonjour, Sylvie.
Comment ça va maintenant ?
Tu vas mieux ?

Sylvie 2 Si je vais mieux ?
Je vais très bien !

Roi	Bien, bien. Bien. Où vas-tu ?
Sylvie 2	Je vais jouer au tennis, papa. Salut !
Roi	Amuse-toi bien, ma chérie.
Roi	Sylvie va mieux maintenant. Elle joue au tennis.
Reine	Elle joue au tennis ? Non, non. Elle est à la piscine.

| **Sylvie 3** | Salut, maman! Salut, papa ! Au revoir ! |

DEUTSCH

Stufe I. Teil 4.

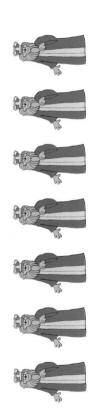

Teil 4

Szene 40

Sylvia Kopf und Schultern,
Knie und Zeh'n,
Knie und Zeh'n.
Auge, Nase, Ohr'n
und Mund,
Ohr'n und Mund...

Muzzy Wo sind wir?

Bob Wir sind im Garten.
Muzzy In deinem Garten?
Bob Aber nein! Im Schlossgarten.
Sieh mal! Da ist Sylvia.
Muzzy Was macht sie da?
Bob Sie macht Gymnastik.
Sylvia Knie und Zeh'n, Knie und
Zeh'n...
Sylvia Psst! Schnell! Hinter das
Ding!
Bob Welches Ding?
Sylvia Die Statue.
Alles in Ordnung?

Bob Nein. Wir sind hungrig.
Können wir bitte etwas zu essen haben?

Muzzy Kann ich bitte eine Uhr haben?

Sylvia Eine Uhr?

Muzzy Entschuldigung...

Bob Ja. Eine Uhr. Er mag Uhren.

Sylvia Psst. Da kommt jemand.

Muzzy Wer ist es?

Bob Ich weiß es nicht.
Ich kann nichts sehen.

Sylvia Psst! Alles in Ordnung!

Bob Oh nein! Es regnet.

Sylvia Wartet dort auf mich!

Bob In Ordnung.

Sylvia Bis heute abend.

Bob Wann?

Sylvia Um sieben Uhr.
Heute abend um sieben Uhr.

Bob Sieben Uhr. Okay!

Muzzy Wie spät ist es jetzt?

Szene 41

Stimme Es ist acht Uhr.
Telefon Klingel, klingel...
Norbert Hallo?
Norbert Nein, ich habe jetzt keine
Zeit. Ich bin beim Frühstück.

Stimme Es ist ein Uhr.
Telefon Klingel, klingel...
Norbert Hallo?
Norbert Nein, ich habe jetzt keine Zeit.
Ich bin beim Mittagessen.

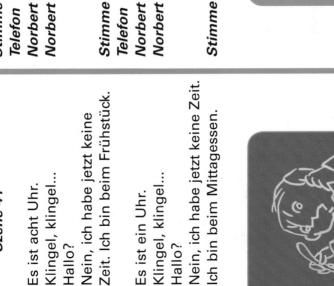

Stimme Es ist sieben Uhr.
Telefon Klingel, klingel...
Norbert Hallo?
Norbert Nein, ich habe jetzt keine Zeit.
Ich bin beim Abendessen.

Stimme Es ist neun Uhr.
Telefon Klingel, klingel...
Norbert Hallo?
Norbert Nein, ich habe jetzt keine
Zeit. Ich bin im Bad.

Stimme Es ist zehn Uhr.

Telefon Klingel, klingel...

Norbert Hallo?

Norbert Nein, ich habe jetzt keine Zeit. Ich gehe jetzt ins Bett.

Szene 42

Königin Ein Uhr. Es ist jetzt Mittag. Zeit zum Mittagessen, Schatz!

König Ich komme!

Königin Mittagessen, Sylvia!

Sylvia Oh... Ich fühle mich nicht wohl. Kann ich in meinem Zimmer essen?

Königin Was hast du denn?

Sylvia Ich habe furchtbare Kopfschmerzen.

Szene 43

Stimme Kopfschmerzen. Magenschmerzen. Zahnschmerzen. Rückenschmerzen.

Norbert	Herein. Was fehlt Ihnen?
1.Patient	Ich habe Kopfschmerzen, Herr Doktor.
Norbert	Kopfschmerzen? Nehmen Sie dies.
1.Patient	Danke, Herr Doktor.
Norbert	Der Nächste, bitte! Was fehlt Ihnen?
2.Patient	Ich habe Magenschmerzen, Herr Doktor!
Norbert	Magenschmerzen? Nehmen Sie dies!
2.Patient	Danke, Herr Doktor.

Norbert	Der Nächste, bitte! Was fehlt Ihnen?
3.Patient	Ich habe Zahnschmerzen, Herr Doktor!
Norbert	Zahnschmerzen? Nehmen Sie dies!
3.Patient	Danke, Herr Doktor.
Norbert	Der Nächste, bitte! Was fehlt Ihnen?
4.Patient	Ich habe Rückenschmerzen, Herr Doktor.
Norbert	Rückenschmerzen? Nehmen Sie dies!
4.Patient	Danke, Herr Doktor.

Szene 44

Königin	Kopfschmerzen? Tzz, Tzz! Bleib in deinem Zimmer, Liebling, und ruh dich aus. Prinzessin Sylvia isst in ihrem Zimmer!

Königin Sylvia fühlt sich nicht wohl.
Sie hat Kopfschmerzen.

Szene 45

Sylvia Kopfschmerzen! Oh!

Königin Hallo, Sylvia.
Wie geht es dir jetzt?

Sylvia 1 Wieso jetzt?
Es geht mir gut, danke.

Königin Wohin gehst du?

Sylvia 1 Ich gehe jetzt schwimmen.
Bis später.

Königin Viel Spaß beim Schwimmen,
Liebling.

König Hallo, Sylvia.
Wie geht es dir jetzt?
Geht es dir besser?

Sylvia 2 Wieso besser??
Mir geht's gut.

König Na schön.
Wohin gehst du?

Sylvia 2 Ich gehe Tennis spielen.
Bis später!

König Viel Spaß beim Tennis
spielen, Liebling.
Sylvia geht es besser.
Sie geht Tennis spielen.

Königin Tennis spielen? Nein!
Sie geht schwimmen!

Sylvia 3 Hallo, Mutti!
Hallo, Vati!
Tschüss!

ITALIANO

Livello I. Parte 4.

Parte 4

Scena 40

Silvia   Testa, spalle.
Braccia giù, mani giù.
Occhi, bocca,
orecchie in su, naso in su.
Occhi, bocca, naso e orecchie
in su...

Muzzy   Dove siamo?

Toni   Siamo nel giardino.
Muzzy   Cosa? Nel tuo giardino?
Toni   No, stupido! Nel giardino del
palazzo reale. Guarda!
Ecco Silvia!
Muzzy   Cosa sta facendo?
Toni   Fa ginnastica.
Silvia   Braccia giù, mani in giù.
Presto!
Là dietro!
Toni   Dietro cosa?
Silvia   La statua.
Stai bene?

Toni No, non stiamo bene. Abbiamo fame. Ci dai da mangiare, per favore?

Muzzy Posso avere un orologio, per favore?

Silvia Un orologio?

Muzzy Scusate.

Toni Sì. Un orologio, gli piacciono gli orologi.

Silvia Ssh! Arriva qualcuno.

Muzzy Chi è?

Toni Non lo so. Non vedo niente. Ssh! Va bene...Oh, no! Piove.

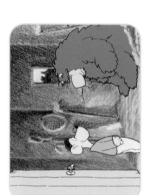

Silvia Guarda, aspettami là.

Toni Va bene.

Silvia A più tardi.

Toni A che ora?

Silvia Alle sette. Ci vediamo stasera alle sette.

Toni Alle sette. D'accordo.

Muzzy Adesso che ore sono?

Scena 41

Voce Sono le otto.

Carlo Pronto?...

Carlo   Pronto?...

Voce   No, sono occupato.
Sto facendo il bagno.
Sono le dieci.

Carlo   Pronto?... Occupato?
No, sto andando a letto.
Buonanotte!

Scena 42

Regina   E' l'una. E' l'ora di pranzo.
E' l'ora di pranzo, caro.

Re   Vengo.

No, sono occupato.
Sto facendo colazione.

Voce
Carlo   E' l'una.
Pronto?...
No, sono occupato.
Sto pranzando.

Voce
Carlo   Sono le sette.
Pronto?... No, sono occupato.
Sto cenando.

Voce   Sono le nove.

Regina E' ora di pranzo, Silvia.
Silvia Non mi sento molto bene.
Posso mangiare nella mia stanza?

Regina Che cosa ti succede?
Silvia Ho un mal di testa terribile.

Scena 43

Voce Mal di testa.
Mal di stomaco.
Mal di denti.
Mal di schiena.

Carlo Entri. Cos'è che non va?
1° paz. Ho mal di testa, dottore.
Carlo Mal di testa?
Prenda questo.
1° paz. Grazie, dottore.

Carlo Il prossimo
Cos'è che non va?
2° paz. Ho mal di stomaco, dottore.
Carlo Mal di stomaco?
Prenda questo.
2° paz. Grazie, dottore.

Scena 44

Regina Mal di testa?
Oh, no... Resta in camera tua,
cara, e riposati.
Il pranzo della Principessa
nella sua stanza!

Regina Silvia non sta molto bene.
Ha mal di testa.

Carlo Avanti il prossimo.
Cos'è che non va?
3° paz. Ho mal di denti, dottore?
Carlo Mal di denti?
Prenda questo.
3° paz. Grazie, dottore.

Carlo Avanti il prossimo.
Cos'è che non va?
4° paz. Ho mal di schiena, dottore.
Carlo Mal di schiena?
Prenda questo.
4° paz. Grazie, dottore.

Scena 45

Silvia   Mal di testa... Uuu...

Regina   Buongiorno Silvia.
Come stai?

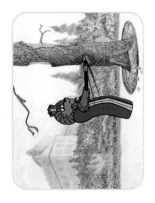

Sosia 1   Come sto?
Bene, grazie.

Regina   Dove stai andando?

Sosia 1   Vado in piscina. Ciao!

Regina   Divertiti, cara.

Re   Buongiorno, Silvia.
Come stai, adesso?
Stai meglio?

Sosia 2   Se sto meglio?
Sto bene.

Re   Bene, bene, bene. Dove vai?

Sosia 2   Vado a giocare a tennis,
papà. Ciao!

Re   Divertiti, cara.

Re   Silvia si sente meglio.
Sta giocando a tennis.

Regina   Giocando a tennis?
Non è vero. Sta in piscina.

Sosia 3   Ciao mamma!
Ciao papà!
Ciao!